TOM
TU GRAN AMIGO

Juega al fútbol

NORMA
Editorial

Tom había ido a pasear por un parque cuando escuchó unas voces, detrás de un seto, que llamaron su atención.

Decidió asomarse a ver lo que sucedía, y pudo ver a un grupo de chicos vestidos con dos colores diferentes que perseguían una pelota.

"Si todos la quieren... ¿por qué no compran varias?", pensó Tom.

Tom no entendía lo que estaban haciendo los chicos: se pasaban la pelota unos a otros, le daban patadas y, aunque pudieran, ninguno la cogía con la mano, que hubiera sido una forma mucho más fácil de llevarla.

"¡Y ahora me la lanzan a mí!",
pensó Tom. "La cogeré y... ¡Vaya
problema! ¿Qué tengo que hacer?
¿A quién se la devuelvo, con lo
interesados que parecen todos?"

Los chicos se quedaron muy tristes cuando vieron desaparecer la pelota dentro de la boca de Tom.

Pero rompieron a reír, muy contentos, cuando se la devolvió.

"Tomafff, chicofff... ¿Podría jugafff con fffosotrofff?", les dijo Tom.

"Es que... eres muy grande. Y sería difícil jugar contigo", le dijo uno de los chicos, que se llamaba Marcos.

"¿Os da miedo que os gane?", preguntó Tom intentando desafiar el amor propio de los chicos.

Le sorprendió que los chicos sonrieran al escucharle.

"No es eso... Es que sería muy fácil regatearte", le contestó uno de ellos.

"Y si te ponemos de guardameta, taparías toda la portería y nadie podría meterte un gol. Habría que inventarse una forma de colocarte", le dijo Marcos.

"Además, tú debes de ser muy fuerte", añadió Marcos, que parecía haberse convertido en el portavoz del equipo. "Seguro que si chutas el balón... ¡lo mandas a la Luna!".

"Podrías jugar de portería... pero
eso te iba a resultar muy aburrido",
le dijo el chico. "Todo el rato quieto
y sin moverte... No. No es una
buena idea".

Y entonces Marcos tuvo una gran idea, pero, antes de contársela a Tom, decidió consultarla con el resto de los jugadores.

"Creo que hemos encontrado una buena forma de que participes en el equipo...".

"Podrías ser... ¡el jefe de los hinchas! Y venir al campo con nuestros amigos cada vez que juguemos, para animarnos. ¡Te lo vas a pasar en grande!", le dijo Marcos.

Marcos se lo pensó un momento antes de decirle a Tom: "Y también podrías... ayudarnos a ver los partidos de la Liga, que son un poco caros".

"Pero lo mejor que podrías hacer es... ¡ser nuestro entrenador! ¡Contigo siempre estaremos en excelente forma!", dijo Marcos, convencido de haber encontrado el mejor destino para Tom.

"¡Qué puntería tienes!", le dijo Marcos. "Es una lástima que por tu tamaño no puedas jugar en el equipo... Tendríamos que cambiarnos el nombre por el de...
"¡Los Invencibles!".

Y gracias a la forma en que Tom entrenaba a todos los jugadores, Marcos y sus amigos consiguieron lo que tanto deseaban.

Y al día siguiente, la foto de Tom apareció junto al equipo de fútbol de sus amigos en los periódicos más importantes del mundo y en todos los noticiarios.

FIN

MIRA LO QUE HACE TOM 1: JUEGA AL FÚTBOL.
Primera edición: diciembre 2004.
Tom es un personaje creado por Daniel Torres.
Guión: Juanjo Sarto.
Dibujo: Carlos Arroyo.
Color: Ángel Louzao.
Tom © European Broadcasting Union.
© 2004 NORMA Editorial , S.A. por la edición en castellano.
Passeig de Sant Joan 7 - 08010 Barcelona.
Tel.: 93 303 68 20 - Fax: 93 303 68 31.
E-mail: norma@normaeditorial.com
Depósito legal: B-42738-2004. ISBN: 84-96415-86-4.
Printed in the EU.

www.NormaEditorial.com